A gotinha de Orvalho

Cecília Rocha e Zaira Silveira

FEB

Copyright © 2004 *by*
FEDERAÇÃO ESPÍRITA BRASILEIRA – FEB

3ª edição – Impressão pequenas tiragens – 8/2025

ISBN 978-85-7328-745-5

Todos os direitos reservados. Nenhuma parte desta publicação pode ser reproduzida, armazenada ou transmitida, total ou parcialmente, por quaisquer métodos ou processos, sem autorização do detentor do *copyright*.

FEDERAÇÃO ESPÍRITA BRASILEIRA – FEB
SGAN 603 – Conjunto F – Avenida L2 Norte
70830-106 – Brasília (DF) – Brasil
www.febeditora.com.br
editorial@febnet.org.br
+55 61 2101 6161

Pedidos de livros à FEB
Comercial
Tel.: (61) 2101 6161 – comercial@febnet.org.br

Adquirindo esta obra, você está colaborando com as ações de assistência e promoção social da FEB e com o Movimento Espírita na divulgação do Evangelho de Jesus à luz do Espiritismo.

Dados Internacionais de Catalogação na Publicação (CIP)
(Federação Espírita Brasileira – Biblioteca de Obras Raras)

R672g   Rocha, Cecília, 1919–2012

         A gotinha de orvalho / elaborado por Cecília Rocha e Zaira Silveira; [Ilustrações Rebouças & Associados]. – 3. ed. – Impressão pequenas tiragens – Brasília: FEB, 2025.

         36 p.; il. color.; 25cm – (Coleção Lições de vida)

         ISBN 978-85-7328-745-5

         1. Orgulho – Literatura infantojuvenil. 2. Conto infantojuvenil brasileiro. I. Silveira, Zaira, 1939–. II. Rebouças & Associados. III. Federação Espírita Brasileira. IV. Título. V. Coleção.

                                                  CDD 869.3
                                                  CDU 869.3
                                                  CDE 81.00.00

APRESENTAÇÃO

Com o objetivo de divertir e possibilitar a aquisição de conhecimentos e valores éticos, estamos oferecendo ao público infantil esta coleção de livros de histórias. Esta série, que se destina a crianças de cinco e seis anos de idade, foi escrita em linguagem acessível a este público, com textos curtos, enriquecidos de ilustrações que permitem à criança a visualização e a concretização dos conteúdos apresentados. Acreditamos que o manuseio destas obras poderá despertar nas crianças hábitos de boa leitura e entendemos que os exemplos de comportamentos morais aqui sugeridos poderão servir de modelo a ser imitado. Consideramos, ainda, que esta coleção de livros auxiliará os pais na seleção de obras infantis que, certamente, irão colaborar com a educação de seus filhos.

As Autoras

A gotinha de orvalho era linda e brilhava como se fosse uma estrela do céu. E a flor branquinha, chamada Açucena, perfumou-se para recebê-la e, depois, guardou-a com cuidado para que ela não fosse embora.

Até um velho sapo, que não falava com ninguém e vivia a coaxar à beira da lagoa, chegou alvoroçado, perguntando:
— Onde está a linda gotinha de orvalho? Onde está?

Açucena abriu a pétala perfumada e o velho sapo pôde ver como brilhava a pequenina gota de orvalho que ali se escondera:
— Tão linda!... Tão linda!... Tão linda!... – repetia ele sem descanço.

A linda flor já se dispunha a esconder a gotinha de orvalho, para que ninguém mais a aborrecesse, quando ouviu um grande falatório. Espiou, curiosa, e viu alguns bichinhos tentando reanimar uma formiga.

— Que foi? Que foi? – quis saber a flor.
— A formiguinha desmaiou – explicou o Grilo.
Açucena inclinou-se para ver melhor.
— A pobrezinha é capaz de morrer!... Por que não fazemos alguma coisa? – sugeriu o Vagalume.
— Já chamamos o doutor Cascudo – disse a Joaninha –, ele deve estar chegando a qualquer instante.

O vagalume, olhando a formiguinha, que continuava estendida no chão, sem dar sinal de vida, exclamou, acendendo a sua luzinha:
— Que falta Dona Formiga deve estar fazendo em casa! Os filhinhos a esperam todos os dias!
— É mesmo!... – suspirou uma borboleta que por ali passava. – Vou dar uma espiadinha neles...

Foi nesse instante que chegou o doutor Cascudo.
— Hum!... – disse ele enquanto examinava a doentinha. – Não está nada bem...
Depois, olhando à sua volta, como se procurasse alguma coisa, pediu: — Depressa! Arranjem um pouco d´água, por favor!
Todos os bichinhos se olharam. Onde arranjar água? Havia três dias que não chovia...
— Depressa! – insistiu ele. – Sem água ela não se salvará. Nem que seja uma só gotinha!...

Açucena estremeceu, lembrando a gota de orvalho, e procurou esconder-se na folhagem. Não... não poderia ficar sem aquela gotinha que brilhava como diamante e que iria enfeitá-la quando surgisse a primavera!

— Mas... – pensou em seguida –, coitada da formiga! Açucena não se escondeu mais. Acariciou pela última vez a gota de orvalho e, inclinando-se, deixou-a deslizar por suas pétalas perfumadas, até cair sobre a formiga, que continuava desacordada.

De repente, que maravilha! A formiguinha reanimou-se, levantou e... sabem o que ela fez? Correu para casa, pois precisava cuidar dos seus filhinhos.

E foi assim que a flor branquinha chamada Açucena ficou sem a linda gotinha de orvalho, que brilhava como se fosse uma estrela do céu. Mas ela não se arrependeu do que havia feito.

A GOTINHA DE ORVALHO				
EDIÇÃO	IMPRESSÃO	ANO	TIRAGEM	FORMATO
1	1	2005	3.000	20,5x29
2	1	2006	2.000	20,5x29
2	2	2010	1.000	20,5x29
3	1	2012	2.000	20x25
3	IPT*	2022	50	20x25
3	IPT	2023	50	20x25
3	IPT	2023	50	20x25
3	IPT	2024	50	20x25

*Impressão pequenas tiragens

O LIVRO ESPÍRITA

Cada livro edificante é porta libertadora.

O livro espírita, entretanto, emancipa a alma nos fundamentos da vida.

O livro científico livra da incultura; o livro espírita livra da crueldade, para que os louros intelectuais não se desregrem na delinquência.

O livro filosófico livra do preconceito; o livro espírita livra da divagação delirante, a fim de que a elucidação não se converta em palavras inúteis.

O livro piedoso livra do desespero; o livro espírita livra da superstição, para que a fé não se abastarde em fanatismo.

O livro jurídico livra da injustiça; o livro espírita livra da parcialidade, a fim de que o direito não se faça instrumento da opressão.

O livro técnico livra da insipiência; o livro espírita livra da vaidade, para que a especialização não seja manejada em prejuízo dos outros.

O livro de agricultura livra do primitivismo; o livro espírita livra da ambição desvairada, a fim de que o trabalho da gleba não se envileça.

O livro de regras sociais livra da rudeza de trato; o livro espírita livra da irresponsabilidade que, muitas vezes, transfigura o lar em atormentado reduto de sofrimento.

O livro de consolo livra da aflição; o livro espírita livra do êxtase inerte, para que o reconforto não se acomode em preguiça.

O livro de informações livra do atraso; o livro espírita livra do tempo perdido, a fim de que a hora vazia não nos arraste à queda em dívidas escabrosas.

Amparemos o livro respeitável, que é luz de hoje; no entanto, auxiliemos e divulguemos, quanto nos seja possível, o livro espírita, que é luz de hoje, amanhã e sempre.

O livro nobre livra da ignorância, mas o livro espírita livra da ignorância e livra do mal.

Emmanuel[1]

---

[1] Página recebida pelo médium Francisco Cândido Xavier, em reunião pública da Comunhão Espírita Cristã, na noite de 25 de fevereiro de 1963, em Uberaba (MG), e transcrita em *Reformador*, abr. 1963, p. 9.

O EVANGELHO NO LAR

Quando o ensinamento do Mestre vibra entre quatro paredes de um templo doméstico, os pequeninos sacrifícios tecem a felicidade comum.[1]

Quando entendemos a importância do estudo do Evangelho de Jesus, como diretriz ao aprimoramento moral, compreendemos que o primeiro local para esse estudo e vivência de seus ensinos é o próprio lar.

É no reduto doméstico, assim como fazia Jesus, no lar que o acolhia, a casa de Pedro, que as primeiras lições do Evangelho devem ser lidas, sentidas e vivenciadas.

O espírita compreende que sua missão no mundo principia no reduto doméstico, em sua casa, por meio do estudo do Evangelho de Jesus no Lar.

Então, como fazer?

Converse com todos que residem com você sobre a importância desse estudo, para que, em família, possam compreender melhor os ensinamentos cristãos, a partir de um momento de união fraterna, que se desenvolverá de maneira harmônica e respeitosa. Explique que as reflexões conjuntas acerca do Evangelho permitirão manter o ambiente da casa espiritualmente saneado, por meio de sentimentos e pensamentos elevados, favorecendo a presença e a influência de Mensageiros do Bem; explique, também, que esse momento facilitará, em sua residência, a recepção do amparo espiritual, já que auxilia na manutenção de elevado padrão vibratório no ambiente e em cada um que ali vive.

Convide sua família, quem mora com você, para participar. Se mora sozinho, defina para você esse momento precioso de estudo e reflexões. Lembre-se de que, espiritualmente, sempre estamos acompanhados.

Escolha, na semana, um dia e horário em que todos possam estar presentes.

O tempo médio para a realização do Evangelho no Lar costuma ser de trinta minutos.

---

[1] XAVIER, Francisco Cândido. *Luz no lar*. Por Espíritos diversos. 12. ed. 7. imp. Brasília: FEB, 2018. Cap. 1.

As crianças são bem-vindas e, se houver visitantes em casa, eles também podem ser convidados a participar. Se não forem espíritas, apenas explique a eles a finalidade e importância daquele momento.

O seguinte roteiro pode ser utilizado como sugestão:

1. Preparação: leitura de mensagem breve, sem comentários;

2. Início: prece simples e espontânea;

3. Leitura: *O evangelho segundo o espiritismo* (um ou dois itens, por estudo, desde o prefácio);

4. Comentários: breves, com a participação dos presentes, evidenciando o ensino moral aplicado às situações do dia a dia;

5. Vibrações: pela fraternidade, paz e pelo equilíbrio entre os povos; pelos governantes; pela vivência do Evangelho de Jesus em todos os lares; pelo próprio lar...

6. Pedidos: por amigos, parentes, pessoas que estão necessitando de ajuda...

7. Encerramento: prece simples, sincera, agradecendo a Deus, a Jesus, aos amigos espirituais.

As seguintes obras podem ser utilizadas nesse momento tão especial:

- *O evangelho segundo o espiritismo*, como obra básica;
- *Caminho, verdade e vida; Pão nosso; Vinha de luz; Fonte viva; Agenda cristã.*

Esse momento no lar não se trata de reunião mediúnica e, portanto, qualquer ideia advinda pela via da intuição deve permanecer como comentário geral, a ser dito de maneira simples, no momento oportuno.

No estudo do Evangelho de Jesus no Lar, a fé e a perseverança são diretrizes ao aprimoramento moral de todos os envolvidos.

Conselho Editorial:
Carlos Roberto Campetti
Cirne Ferreira de Araújo
Evandro Noleto Bezerra
Geraldo Campetti Sobrinho – Coord. Editorial
Jorge Godinho Barreto Nery – Presidente
Maria de Lourdes Pereira de Oliveira
Miriam Lúcia Herrera Masotti Dusi

Produção Editorial:
Elizabete de Jesus Moreira

Revisão:
Rosiane Dias Rodrigues

Capa, Projeto gráfico e Diagramação:
João Guilherme Andery Tayer

Ilustrações:
Rebouças & Associados

Normalização Técnica:
Biblioteca de Obras Raras e Documentos Patrimoniais do Livro

Esta edição foi impressa no sistema de Impressão pequenas tiragens, em formato fechado de 200x250 mm. Os papéis utilizados foram o Couche fosco 90 g/m² para o miolo e o Cartão 250 g/m² para a capa. O texto principal foi composto em fonte Amaranth 17/23. Impresso no Brasil. *Presita en Brazilo.*